KB096355

2024 부동산학개론:

아날로그식 수험서

2024 부동산학개론: 아날로그식 수험서

발　행 | 2024년 7월 19일
저　자 | 권민석
펴낸이 | 한건희
펴낸곳 | 주식회사 부크크
출판사등록 | 2014.07.15.(제2014-16호)
주　소 | 서울특별시 금천구 가산디지털1로 119 SK트윈타워 A동 305호
전　화 | 1670-8316
이메일 | info@bookk.co.kr

ISBN | 979-11-410-9520-8

www.bookk.co.kr

2024 부동산학개론:
아날로그식 수험서

[목차]

[머리말]

※ 먼저 여러분의 성원으로 2024년도 개정판이 나오게 된 것을 감사드리는 바이다.

공인중개사 시험이 열풍이다. 뉴스엔 연일 부동산 관련 소식이 나오며, 그 부동산을 중개하는 전문직인 공인중개사에 대한 관심이 높아 공인중개사를 공부하는 수험생이 매년 증가하고 있다. 그리고 그에 상응하게 수험서도 시중에 많이 나와 있는 상황이다.

시중에 나와 있는 수험서를 디지털식 수험서라 칭한다면, 이 책은 아날로그식 수험서이다. 아날로그식 수험서는 필자가 정의한 용어로 '예전 70~80년 시절의 수험서 형태로 전 페이지가 텍스트로 일원화 된 수험서를 의미한다.

생각하기엔 시대를 역행하는 것 같지만, 아날로그식 학습법도 분명 필요하다. 공부에는 왕도가 없다. 사람마다 공부방법이 다른 만큼 이러한 방식의 서술식 수험서도 있음을 알리고자 한다. 현재 출판계에 그렇게 많은 수험서가 존재하는 상황에서도 이 책을 발간하게 된 구체적인 계기와 이 책의 특징은 다음 페이지와 같다.

[본 수험서의 특징]

1. 디지털식 수험서가 넘쳐나는 수험계 시장에서 또 다른 학습법이 존재한다는 것을 보여주고자 함

2, 사람마다 학습법이 다른 만큼 이 책을 부교재삼아 기존의 교재에 하나의 추가된 아이템이 되고자 함

3. 텍스트 위주의 수험서가 가진 장점은 수험서 서술 방식이 텍스트로 일원화 되어 일관된 방식의 학습을 하고픈 바쁜 수험생에게 적합한 학습 방법이 될 수도 있음

또한 이 책의 활용법은 수험생 마다 다를 수 있지만 표준적인 가이드를 제시하자면 다음 페이지와 같다.

[이 책의 활용법]

※ 총100개의 기출식 문장을 읽어보며, 여러분들에게 앞으로의 수험계획과 방향을 세우는데 도움을 주고자 하였다.

※ 아날로그식 공부법을 활용하는데 도움이 되는 공부법들을 지면 속에 수록하였으니 잘 활용해 보길 권한다.

※ 100개의 기출식 문장만으로는 1차 과목을 모두 습득했다고는 할 수 없다. 하지만 100개의 문장을 토대로 그 문장 앞·뒤의 지식들을 스스로 인터넷이나 타수험서를 통해 찾아보며, 궁금증을 가지고 문제풀기까지 해 본다면, 여러분의 지식은 한층 더 높아질 것이다.

※ 이 교재는 여러 기본서 들을 접근하기전 OT 혹은 부교재로서의 활용을 권장한다. 아무쪼록 여러분들의 건승을 빈다.

여러분들의 합격을 진심으로 기원합니다.

\- 저자의 말

PART Ⅰ
이론100문장

인간은 양도할 수 없는 자기계발 권리를 가진다.

\- 저메인 그리어

이론1.
부동산 총론

게으름은 피곤하기 전에 쉬는 습관일 뿐.
- 쥘 르나르

제1장 부동산 개념

1. 협의의 부동산이란 민법상의 개념으로서 '토지와 그 정착물'을 말한다.

2. 정착물은 토지에 부착되어 계속적으로 이용된다고 인정되는 물건으로서 이동이 곤란한 것을 말한다. 정착물에는 사회적·경제적으로 독립된 물건으로 인정되는 독립물과 토지의 일부로 취급되는 종속물이 있다.

3. 광의의 부동산이란 협의의 부동산에 준부동산을 포함한 것을 말한다.

암 기 메 모 장

협의의 부동산:

광의의 부동산:

4. 경제적 측면에서의 부동산은 상품, 자산, 자본, 생산요소, 소비재 등으로서의 부동산을 말한다.

5. 부동산의 기술적 개념으로는 공간, 자연, 위치, 환경, 지질 토양 등으로서의 부동산을 말한다.

6. 복합개념의 부동산이란 부동산을 파악할 때 무형적인 측면과 유형적인 측면을 모두 고려하여 파악하는 경우의 부동산을 말한다.

암 기 메 모 장

경제적 측면의 부동산:

복합개념의 부동산:

제2장 부동산 분류

7. 필지란 지적법상의 용어로서 하나의 지번이 붙는 토지의 등록단위를 말한다.

8. 획지는 인위적·자연적·행정적 조건에 의해 다른 토지와 구별되는 가격수준이 비슷한 일단의 토지를 말하며, 토지의 이용 또는 거래활동의 단위를 말한다.

9. 맹지란 다른 토지에 둘러싸여 도로에 접한 면을 갖지 못하는 토지를 말한다.

암 기 메 모 장

필지:

맹지:

10. 대지란 좁은 통로로 도로에 접속하는 토지를 말한다.

11. 포락지란 지반이 절토되어 무너져 내린 토지로서 전·답 등이 하천으로 변한 토지를 말한다.

12. 다가구주택이란 주택으로 쓰이는 층수가 3개 층 이하이며, 주택으로 쓰이는 바닥면적 합계가 660m² 이하인 주택을 말한다.

13. 다세대주택이란 주택으로 쓰이는 1개 동의 바닥면적 합계가 660m² 이하이고, 층수가 4개 층 이하인 주택을 말한다.

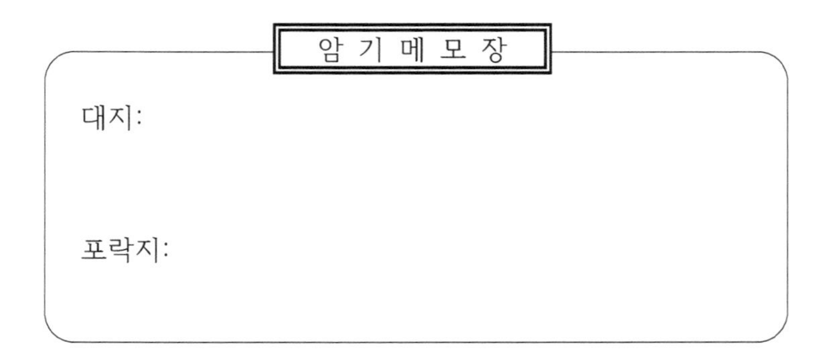

제3장 부동산 특성

14. 토지의 자연적 특성으론 부동성, 부증성, 영속성, 개별성 인접성 등이 있다.

15. 부동성이란 토지는 인위적으로 그 위치를 이동시킬 수 없는 특성을 말한다.

16. 부증성이란 일반재화와는 달리 토지는 생산비를 투입하여 그 물리적인 양을 증가시킬 수 없는 특성을 말한다.

암 기 메 모 장

부동성:

부증성:

17. 영속성이란 토지는 일반재화와는 달리 시간의 흐름이나 사용에 의하여 소모되거나 마멸되지 않는다는 특성을 말한다.

18. 개별성이란 토지는 물리적으로 완전히 동일한 토지는 없다는 특성이다.

19. 토지의 인문적 특성으론 용도 다양성, 병합·분할 가능성, 사회·경제·행정적 위치 가변성, 지역성, 국토성 등이 있다.

암 기 메 모 장

영속성:

개별성:

20. 부동산의 기타 인문적 특성으론 지역성과 국토성이 있다.

제4장 부동산 속성

21. 공중권이란 소유권자가 토지구역성의 공중공간을 타인에게 방해받지 않고, 정당한 이익이 있는 범위 내에서 이용·관리할 수 있는 권리를 말한다.

22. 지표권이란 소유권자가 토지 구역의 수평공간을 배타적으로 이용할 수 있는 권리를 말한다.

23. 접근성이란 어떤 목적물에 도달하는 데 걸리는 거리적·경제적·시간적 부담의 정도를 말한다.

암 기 메 모 장

공중권:

지표권:

24. 접근의 대상물이 혐오의 대상이라면 접근성이 좋을수록 부동산의 가치는 낮다.

25. 일반적으로 접근성이 좋을수록 가치가 높다 할지라도 지나치게 접근성이 좋은 경우 가치가 낮을 수도 있다.

당신은 지체할 수도 있지만
시간은 그러하지 않을 것이다.
- 벤자민 프랭클린

이론2.
부동산학 각론

발견은 준비된 사람이 맞닥뜨린 우연이다.
- 알버트 센트 디외르디

제1장 부동산 경제론

26. 수요법칙이란 어떤 재화의 가격이 하락하면 그 수요량은 증가하고 가격이 상승하면 수요량이 감소한다는 것으로서, 가격과 수요량의 반비례관계를 말한다.

27. 수용결정요인으로는 당해 재화의 가격, 그리고 소득 그리고 관련재 가격 이외에 인구, 수요자의 가격 상승 또는 하락 예상, 기호 등이 있다.

28. 공급이란 생산자가 일정 기간 동안 상품을 판매하고자 하는 욕구를 말한다.

암 기 메 모 장

수요법칙:

공급:

29. 균형이란 외부의 어떤 충격이 가해지지 않는 한 그 상태가 유지되는 상태를 의미한다.

30. 타력성은 어떤 충격에 대해 반응하는 크기의 정도를 의미한다.

31. 공급의 가격탄력성이란, 어떤 재화의 가격 변화율에 대한 그 재화의 공급량 변화율의 비율을 말한다.

32. 경기변동의 유형에는 순환적 변동, 장기적 변동, 계절적 변동, 무작위적 변동이 있다.

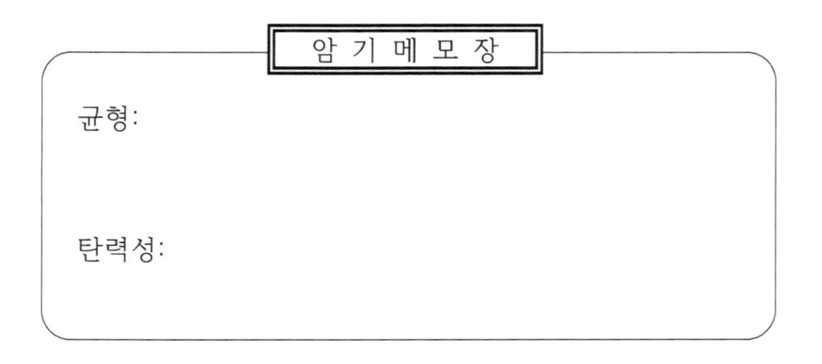

제2장 부동산 시장론 및 입지, 공간구조론

33. 부동산 시장이란 부동산 수요자와 공급자에 의해 부동산의 거래를 통하여 부동산 권리의 교환, 가액결정, 공간배분, 공간이용 패턴 결정 등이 이루어지는 곳을 말한다.

34. 부동산 시장의 특징으로는 과다한 법적 제한, 매매 기간의 장기성, 시장의 국지성, 수요·공급조절의 곤란성, 부동산상품의 비표준화성, 거래의 비공개성, 시장의 비조직성, 자금의 유용성 등이 있다.

35. 효율적 시장 이론에서 '시장의 효율성'이란 부동산 시장이 새로운 정보를 얼마나 지체 없이 가치에 반영하는가 하는 것을 말한다.

36. 입지란 어떤 것이 장소를 정하고 있는 위치를 말한다.

37. 튀넨의 농업 입지이론과 베버의 최소비용이론과 크리스탈러의 중심지이론을 잘 구분할 수 있어야 한다.

38. 지대란 토지의 소유자가 생산을 목적으로 하는 사람에게 토지를 일정기간 동안 임대해 주고서 받는 보수를 말한다.

39. 농경지지대이론에는 차액지대론과 위치지대설과 절대지대론 등이 있다.

암 기 메 모 장

입지:

지대:

40. 동심원 이론에서는 도시가 중심지에서 동심원상으로 확대되어 5개의 지구로 분화하면서 성장한다는 이론이다.

41. 다핵심이론이란 도시는 하나의 중심이 아니라 여러 개의 전문화된 중심으로 이루어져 있다는 이론이다.

암 기 메 모 장

동심원이론:

다핵심이론:

좋은 책을 읽지 않는 사람은 책을 읽을 수 없는
사람보다 나을 바 없다.
- 마크 트웨인

제3장 부동산 정책론

42. 시장실패란 자원배분 기능을 담당한 시장기구가 효율적인 자원배분을 달성하지 못하는 현상을 말한다.

43. 시장실패의 원인으로는 외부 경제, 외부 불경제 같은 외부효과와 공공재, 불완전시장, 비대칭 정보 등이 있다.

44. 정부의 시장개입 수단으로는 직접적 개입과 간접적 개입 그리고 토지이용규제 등이 있다.

암 기 메 모 장

시장실패:

시장실패의 원인:

45. 주택정책으로는 임대료 규제와 주택보조, 공공임대주택 공급 등이 있다.

46. 조세의 기능으로는 부동산 자원 배분 기능, 소득재분배 기능, 지가안정, 투기억제 기능, 주택문제의 해결수단 등이 있다.

47. 조세의 귀착이란 정부가 납세 의무자에게 부과하는 조세가 그 거래 상대방에게 전가되어 실제로 누가 얼마만큼 부담하느냐 하는 것을 말한다.

암 기 메 모 장

조세의 기능:

조세의 귀착:

제4장 부동산 투자론

48. 투자란 현재의 확실한 소비와 미래의 불확실한 수익을 교환하는 행위를 말한다.

49. 부동산투자의 장점으로는 지렛대 효과, 인플레이션 헤지, 소득이득과 자본이득의 기대 등이 있다.

50. 부동산투자의 단점으로는 낮은 환금성, 소유자의 노력 필요, 부동산투자의 위험, 행정적 통제와 법률의 복잡성 등이 있다.

암 기 메 모 장

부동산투자의 장점:

부동산투자의 단점:

51. 부동산투자 위험의 유형으로는 사업상의 위험, 금융적 위험, 법적 위험, 인플레이션 위험, 유동성 위험 등이 있다.

52. 평균-분산 결정법은 예상 수익의 평균과 분산의 두 통계치를 이용하여 투자의사를 결정하는 것을 말한다.

53. 포트폴리오 이론은 자산이 하나에 집중되어 있을 때 발생할 수 있는 위험을 줄이기 위해 여러 종류의 자산에 분산하여 투자함으로써 안정적인 수익을 얻고자 하는 자산관리 또는 위험관리의 방법이나 원리를 말한다.

암 기 메 모 장

부동산투자 위험의 유형:

포트폴리오 이론:

54. 순현가법(NPV)이란 장래 기대되는 세후소득의 현재가치의 합과 투자비용으로 지출된 지분의 현가합을 서로 비교하는 것이다.

55. 수익성지수는 현금유입의 현가를 현금유출의 현가로 나눈 값을 말한다.

56. 내부수익률법(IRR)이란 내부수익률과 요구수익률을 비교하여 투자결정을 내리는 방법을 말한다.

암 기 메 모 장

순현가법:

내부수익률법:

제5장 부동산 금융론

57. 금융이란 자금의 융통을 위미하며, 부동산금융이란 부동산을 취득하거나 부동산 개발에 필요한 자금을 융통하는 것을 말한다.

58. 부동산금융은 크게 토지금융과 주택금융으로 나눌 수 있으며 주택금융이 부동산금융의 주를 이루고 있다.

59. 원리금균등상환방법(CPM)은 매 기간 원금과 이자의 합계가 균등한 방법이다.

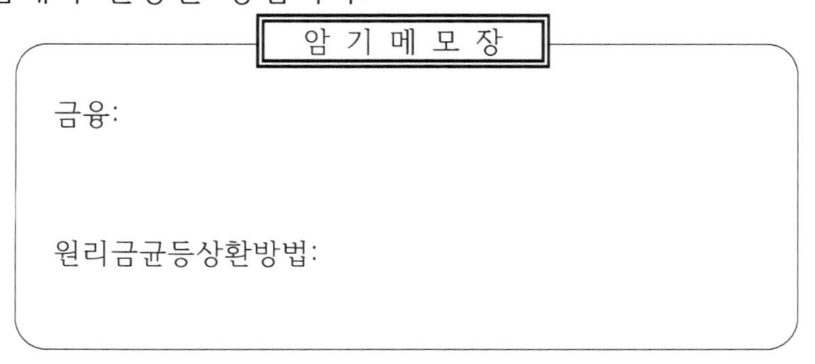

60. 원금균등분할상환(CAM)은 원금은 저당원금을 상환기간 동안의 납입횟수로 나누어 일정하게 상환하고, 이자는 전기 말의 저당자금에 이자율을 곱하여 구한 후 원금과 이자의 합을 상환하는 방법으로서 체감식 상환 방법이라고도 한다.

61. 저당권을 하나의 상품으로 유통되게 하여 신용창조의 수단으로 활용하는 것을 저당유동화라 한다.

62. 저당담보증권(MBS)이란 저당대출기관, 저당회사, 기타 기관투자자들이 설정하거나 사들인 저당을 담보로 해서 발행하는 새로운 형태의 증권을 말한다.

암 기 메 모 장

원금균등분할상환:

저당담보증권:

63. 리츠(REITs)란 불특정 다수의 투자자들로부터 투자자금을 모집하여 그 자금을 부동산에 투자하거나 저당담보증권(MBS)에 투자 또는 부동산 관련 대출 등으로 운영하여 얻어진 운영수익을 투자자에게 배분해 주는 부동산 간접투자상품이다.

64. 프로젝트 파이낸싱은 당해 프로젝트에서 발생하는 현금흐름을 담보로 자금을 조달하는 방식을 말한다.

암 기 메 모 장

리츠:

프로젝트 파이낸싱:

제6장 부동산 개발 및 관리론

65. 토지이용의 집약도란 토지이용에 있어서 단위면적당 투입되는 노동과 자본의 크기를 말한다.

66. 도시스프롤현상이란 도시의 성장·개발현상이 불규칙적이고 무계획적이며, 무질서하게 확산되거나 개발되는 현상을 말한다.

67. 부동산개발의 분류는 주체에 따라 공영개발, 민간개발, 민관 협동개발로 나눈다.

암 기 메 모 장

토지이용의 집약도:

도시스프롤현상:

68. 부동산개발의 분류는 토지의 취득방식에 따라 환지방식, 전면매수방식, 혼합방식, 신탁개발방식으로 나눈다.

69. 부동산관리의 방식으로는 자가관리, 위탁관리 혼합관리가 있다.

70. 부동산마케팅 전략 중 STP전략이란 시장세분화, 표적시장, 제품차별화를 의미하는 약자로서 전통적인 전략의 하나이다.

암 기 메 모 장

부동산개발의 분류:

STP전략:

71. 마케팅 믹스란 유통, 제품, 가격, 홍보촉진 및 의사소통의 제 측면에서 차별화를 도모하는 전략을 말하며 주로 상업용 부동산의 마케팅에서 사용되고 있다.

72. 고객점유마케팅 전략은 전통적인 시장점유 마케팅이 공급자의 일방적인 접근이었다는 반성으로부터 나온 전략으로서, 주의, 관심, 욕망, 행동으로 이어지는 구매의사 결정과정의 각 단계에서 소비자와의 심리적 접점을 마련하고 전달되는 메시지의 톤과 강도를 조절하여 마케팅 효과를 극대화하는 것이 핵심이다.

73. 관계 마케팅 전략은 생산자와 소비자 간의 1회성 거래를 전제로 한 종래의 마케팅이론에 대한 반성으로 양자 간의 장기적.지속적인 관계 유지를 주축으로 하는 전략이다. 부동산마케팅에 있어서 ‘브랜드’의 문제와 연관된다.

집중력은 자신감과 갈망이 결합하여 생긴다.
- 아놀드 파머

이론3.
감정평가론

진정한 여행자는 걸어 다니는 자이며,
걸어 다니며 자주 앉는다.
- 콜레트

제1장 감정평가 기초

74. 감정평가란 '토지 등의 경제적 가치를 판정하여 그 결과를 가액으로 표시하는 것'을 말한다.

75. 감정평가의 분류로는 공적평과와 공인평가, 필수적 평가와 임의적 평가, 공익평가와 사익평가 그리고 법정평가가 있다.

76. 가격의 본질은 가치이고, 가격은 가치에 의해 결정된다.

암 기 메 모 장

감정평가:

감정평가의 분류:

77. 부동산가격의 원칙이란 부동산의 가격이 어떻게 형성되고 유지되는가에 관한 법칙성을 추출하여 부동산평가활동의 지침으로 삼으려는 하나의 행위기준을 말한다.

78. 최유효이용의 원칙이란 부동산의 가격은 부동산의 최유효이용을 전제로 하여 파악되는 가격을 표준으로 하여 형성된다는 원칙을 말한다.

79. 지역분석이란 대상부동산이 속한 지역이 어떤 지역 특성을 갖는지 그리고 그 특성이 대상부동산의 가격 형성에 어떤 영향을 미치는지를 파악하여 그 지역의 표준적 이용과 가격수준을 파악하는 것을 말한다.

암 기 메 모 장

부동산가격의 원칙:

최유효이용의 원칙:

80. 개별분석이란 대상부동산의 개별적 요인을 분석하여 대상부동산의 최유효이용과 구체적 가격을 판정하는 것을 말한다.

읽다 죽어도 멋져 보일 책을 항상 읽어라

- P. J. 오루크

제2장 감정평가 3방식

81. 감정평가의 3방식이란 부동산의 가치를 추계하는 3가지 방식을 말하며, 원가방식, 비교방식 그리고 수익방식을 말한다. 이러한 3방식은 다시 가격과 임료를 구하는 방법으로 각각 나누어진다.

82. 원가방식이란 비용성의 원리를 따르는 평가방식으로서, 원가법에 의하여 대상물건의 가격을 구하는 방법과 적산법에 의하여 대상물건의 임료를 구하는 방법을 말한다.

83. 비교방식이란 시장성의 원리를 따르는 평가방식으로서, 거래사례비교법에 의하여 대상물건의 가격을 구하는 방법과 임대사례법에 의하여 대상물건의 임료를 구하는 방법 및 공시지가기준법을 말한다.

84. 수익방식이란 수익성의 원리를 따르는 평가방식으로서 수익환원법에 의하여 대상물건의 가격을 구하는 방법과 수익분석법에 의하여 대상물건의 임료를 구하는 방법을 말한다.

85. 원가법은 대상물건의 재조달원가에 감가수정을 하여 대상물건의 가액을 산정하는 방법을 말한다.

86. 재조달원가란 대상물건을 기준시점 현재 재생산 또는 재취득하는 경우의 적정원가 총액을 말한다.

암 기 메 모 장

원가법:

재조달원가:

87. 감가수정이란 대상물건에 대한 재조달원가를 감액하여야 할 요인이 있는 경우에 물리적 감가, 기능적 감가 또는 경제적 감가 등을 고려하여 그에 해당하는 금액을 재조달원가에서 공제하여 기준시점에 있어서의 대상물건의 가액을 적정화하는 작업을 말한다.

88. 감가수정방법으로는 내용연수법, 정률법, 상환기금법, 관찰감가법 등이 있다.

89. 거래사례비교법이란 대상물건과 가치형성요인이 같거나 비슷한 물건의 거래사례와 비교하여 대상물건의 현황에 맞게 사정보정 및 시점수정, 가치형성요인 비교 등의 과정을 거쳐 대상물건의 가액을 산정하는 방법을 말한다.

암 기 메 모 장

감가수정:

거래사례비교법:

90. 수익환원법이란 대상물건이 장래 산출할 것으로 기대되는 순이익이나 미래의 현금흐름을 환원하거나 할인하여 대상물건의 가액을 산정하는 방법이다.

91. 순수익이란 부동산으로부터 발생하는 총수익에서 그 수익을 발생시키는 데 소요되는 비용을 공제한 금액을 말한다.

92. 환원이율이란 부동산의 예상순수익을 가격으로 환산하는 데 적용되는 이율을 말한다.

93. 임료의 종류에는 실질임료, 지불임료, 순임료 등이 있다.

94. 원가방식의 '적산법'은 대상물건의 가격에 기대이율을 곱하여 산정한 기대수익에 대상물건을 계속하여 임대하는 데에 필요한 경비를 더하여 임대료를 산정하는 방법을 말한다.

95. 비교방식의 임대사례비교법은 대상물건과 가치형성요인이 같거나 비슷한 물건의 임대사례와 비교하여 대상물건의 현황에 맞게 사정보정, 시점수정, 가치형성요인 비교 등의 과정을 거쳐 대상물건의 임대료를 산정하는 감정평가방법을 말한다.

96. 수익분석법은 일반기업 경영에 의하여 산출된 총수익을 분석하여 대상물건이 일정한 기간에 산출할 것으로 기대되는 순수익에 대상물건을 계속하여 임대하는 데에 필요한 경비를 더하여 대상물건의 임대료를 산정하는 감정평가방법을 말한다.

암 기 메 모 장

임대사례비교법:

수익분석법:

제3장 부동산가격 공시제도

97. 부동산가격 공시제도는 토지, 주택 등 부동산의 적정가격을 공시하여 부동산가격 산정의 기준이 되게 하고, 부동산의 적정한 가격형성을 도모하여, 나아가 국토의 효율적인 이용과 국민경제의 발전에 이바지하게 함을 목적으로 한다.

98. 표준지공시지가란 부동산 가격공시에 관한 법률의 규정에 의한 절차에 따라 국토교통부장관이 조사, 평가하여 '매년 공시기준일 현재 공시한 표준지의 단위면적당 적정 가격'을 말한다.

99. 개별공시지가라 함은 시장·군수 또는 구청장이 결정·공시한 매년 공시지가의 공시기준일(매년 1월 1일) 현재 관할구역 안의 개별토지의 단위면적당 가격을 말한다.

100. 표준지공시지가의 효력은 토지시장의 지가정보를 제공하며, 일반적인 토지거래의 지표가 되며, 국가·지방자치단체 등이 그 업무와 관련하여 지가를 산정하는 기준이 된다.

책 없는 방은 영혼 없는 육체와도 같다.
- 키케로

PART Ⅱ
하프모의고사 기출 문제
(한국산업인력공단 기출문제 참조)

미래는 예전의 미래가 아니다.
- 요기 베라

1회 하프기출문제(2023)
40문항 중 20문항
(한국산업인력공단 기출문제 참조)

인생에는 서두르는 것 말고도 더 많은 것이 있다.
- 마하트마 간디

1. 토지의 특성에 관한 설명으로 틀린 것은?

① 용도의 다양성으로 인해 두 개 이상의 용도가 동시에 경합할 수 없고 용도의 전환 및 합병·분할을 어렵게 한다.

② 부증성으로 인해 토지의 물리적 공급이 어려우므로 토지이용의 집약화가 요구된다.

③ 부동성으로 인해 주변 환경에 따른 외부효과가 나타날 수 있다.

④ 영속성으로 인해 재화의 소모를 전제로 하는 재생산이론과 물리적 감가상각이 적용되지 않는다.

⑤ 개별성으로 인해 토지별 완전한 대체 관계가 제약된다.

2. 부동산의 개념에 관한 설명으로 틀린 것은?

① [민법]상 부동산은 토지 및 그 정착물이다.

② 경제적 측면의 부동산은 부동산가치에 영향을 미치는 수익성, 수급조절, 시장정보를 포함한다.

③ 물리적 측면의 부동산에는 생산요소, 자산, 공간, 자연이 포함된다.

④ 등기·등록의 공시방법을 갖춤으로써 부동산에 준하여 취급되는 동산은 준부동산으로 간주한다.

⑤ 공간적 측면의 부동산에는 지하, 지표, 공중공간이 포함된다.

3. 해당 부동산시장의 수요곡선을 우측(우상향)으로 이동하게 하는 수요변화의 요인에 해당하는 것은?(단, 수요곡선은 우하향하고, 해당 부동산은 정상재이며, 다른 조건은 동일함)
① 대출금리의 상승
② 보완재 가격의 하락
③ 대체제 수요량의 증가
④ 해당 부동산 가격의 상승
⑤ 해당 부동산 선호도의 감소

4. 거미집모형에 관한 설명으로 옳은 것은?(단, 다른 조건은 동일함)
① 수요의 가격탄력성이 공급의 가격탄련성보다 크면 발산형이다.
② 가격이 변동하면 수요와 공급은 모두 즉각적으로 반응한다는 가정을 전제하고 있다.
③ 수요곡선의 기울기 절댓값이 공급곡선의 기울기 절댓값보다 작으면 수렴형이다.
④ 수요와 공급의 동시적 관계로 가정하여 균형의 변화를 정태적으로 분석한 모형이다.
⑤ 공급자는 현재와 미래의 가격을 동시에 고려해 미래의 공급을 결정한다는 가정을 전제하고 있다.

5. 수요와 공급의 가격탄력성에 관한 설명으로 옳은 것은?(단, X축은 수량, Y축은 가격, 수요의 가격탄력성은 절댓값을 의미하며, 다른 조건은 동일함)

① 가격이 변화하여도 수요량이 전혀 변화하지 않는다면, 수요의 가격탄력성은 완전탄력적이다.

② 가격변화율보다 공급량의 변화율이 커서 1보다 큰 값을 가진다면, 공급의 가격탄력성은 비탄력적이다.

③ 공급의 가격탄력성이 0이라면, 완전탄력적이다.

④ 수요의 가격탄력성이 1보다 작은 값을 가진다면, 수요의 가격탄력성은 탄력적이다.

⑤ 공급곡선이 수직선이면, 공급의 가격탄력성은 완전비탄력적이다.

6. 부동산의 수요와 공급에 관한 설명으로 틀린 것은?(단, 부동산은 정상재이며, 다른 조건은 동일함)

① 수요곡선상의 수요량은 주어진 가격에서 수요자들이 구입 또는 임차하고자 하는 부동산의 최대수량이다.

② 부동산의 공급량과 그 공급량에 영향을 주는 요인들과의 관계를 나타낸 것이 공급함수이다.

③ 공급의 법칙에 따르면 가격(임대료)과 공급량은 비례관계이다.

④ 부동산 시장수요곡선은 개별수요곡선을 수직으로 합하여 도출한다.

⑤ 건축원자재의 가격 상승은 부동산의 공급을 축소시켜 공급곡선을 좌측(좌상향)으로 이동하게 한다.

7. 지대이론에 관한 설명으로 옳은 것은?

① 튀넨의 위치지대설에 따르면, 비옥도 차이에 기초한 지대에 의해 비농업적 토지이용이 결정된다.

② 마샬의 준지대설에 따르면, 생산을 위하여 사람이 만든 기계나 기구들로부터 얻은 일시적인 소득은 준지대에 속한다.

③ 리카도의 차액지대설에서 지대는 토지의 생산성과 운송비의 차이에 의해 결정된다.

④ 마르크스의 절대지대설에 따르면, 최열등지에서는 지대가 발생하지 않는다.

⑤ 헤이그의 마찰비용이론에서 지대는 마찰비용과 교통비의 합으로 산정된다.

8. 크리스탈러의 중심지이론에 관한 설명으로 옳은 것은?

① 최소요구범위 - 중심지 기능이 유지되기 위한 최소한의 수요 요구 규모

② 최소요구치 - 중심지로부터 어느 기능에 대한 수요가 0이 되는 곳까지의 거리

③ 배후지 - 중심지에 의해 재화와 서비스를 제공받는 주변지역

④ 도달범위 - 판매자가 정상이윤을 얻을 만큼의 충분한 소비자들을 포함하는 경계까지의 거리

⑤ 중심지 재화 및 서비스 - 배후지에서 중심지로 제공되는 재화 및 서비스

9. 현재 우리나라에서 시행되고 있지 않는 부동산 정책 수단을 모두 고른 것은?

ㄱ. 택지소유상한제
ㄴ. 부동산거래신고제
ㄷ. 토지초과이득제
ㄹ. 주택의 전매제한
ㅁ. 부동산실명제
ㅂ. 토지거래허가구역
ㅅ. 종합부동산세
ㅇ. 공한지세

① ㄱ, ㅇ
② ㄱ, ㄷ, ㅇ
③ ㄱ, ㄹ, ㅁ, ㅂ
④ ㄴ, ㄷ, ㄹ, ㅁ, ㅅ
⑤ ㄴ, ㄹ, ㅁ, ㅂ, ㅅ, ㅇ

10. 부동산시장에 대한 정부의 개입에 관한 설명으로 틀린 것은?

① 부동산투기, 저소득층 주거문제, 부동산자원배분의 비효율성은 정부가 부동산시장에 개입하는 근거가 된다.

② 부동산시장실패의 대표적인 원인으로 공공재, 외부효과, 정보의 비대칭성이 있다.

③ 토지비축제도는 공익사업용지의 원활한 공급과 토지시장 안정을 위해 정부가 직접적으로 개입하는 방식이다.

④ 토지수용, 종합부동산세, 담보인정비율, 개발부담금은 부동산시장에 대한 직접개입수단이다.

⑤ 정부가 주택시장에 개입하여 민간분양주택 분양가를 규제할 경우 주택산업의 채산성·수익성을 저하시켜 신축민간주택의 공급을 축소시킨다.

11. 다음과 같은 투자안에서 부동산의 투자가치는?
(단, 연간 기준이며, 주어진 조건에 한함)

- 무위험률: 3%
- 위험할증률: 4%
- 예상인플레이션율: 2%
- 예상순수익: 4,500만원

① 4억원
② 4억5천 만원
③ 5억원
④ 5억5천만원
⑤ 6억원

12. 부동산투자 위험에 관한 설명으로 옳은 것을 모두 고른 것은?

ㄱ. 표준편차가 작을수록 투자에 수반되는 위험은 커진다.

ㄴ. 위험회피형 투자자는 변이계수(변동계수)가 작은 투자안을 더 선호한다.

ㄷ. 경기침체, 인플레이션 심화는 비체계적 위험에 해당한다.

ㄹ. 부동산투자자가 대상부동산을 원하는 시기와 가격에 현금화하지 못하는 경우는 유동성위험에 해당한다.

① ㄱ, ㄴ

② ㄱ, ㄷ

③ ㄴ, ㄷ

④ ㄴ, ㄹ

⑤ ㄷ, ㄹ

13. 甲은 시장가치 5억원의 부동산을 인수하고자 한다. 해당 부동산의 부채감당률(DCR)은?(단, 모든 현금 유출입은 연말에만 발생하며, 주어진 조건에 한함)

- 담보인정비율(LTV): 시장가치의 50%
- 연간 저당상수: 0.12
- 가능총소득(PGI): 5,000만원
- 공실손실상당액 및 대손충당금: 가능총소득의 10%
- 영업경비비율: 유효총소득의 28%

① 1.08

② 1.20

③ 1.50

④ 1.67

⑤ 1.80

14. 다음 자료는 A부동산의 1년간 운영수지이다. A부동산의 세후현금흐름승수는?(단, 주어진 조건에 한함)

- 총투자액: 50,000만원
- 지분투자액: 36,000만원
- 가능총소득(PGI): 6,000만원
- 공실률: 15%
- 재산세: 500만원
- 원리금상환액: 600만원
- 영업소득세: 400만원

① 8

② 10

③ 12

④ 15

⑤ 20

15. 甲은 아래 조건으로 부동산에 10억원을 투자하였다. 이에 관한 투자분석의 산출값으로 틀린 것은?(단, 주어진 조건에 한함)

- 순영업소득(NOI): 2억원/년
- 원리금상환액: 2,000만원/년
- 유효총소득승수: 4
- 지분투자액: 8억원

① 유효총소득은 2억5천만원
② 부채비율은 25%
③ 지분환원율은 25%
④ 순소득승수는 5
⑤ 종합환원율은 20%

16. 부동산투자분석에 관한 설명으로 틀린 것은?

① 내부수익률은 수익성지수를 0으로, 순현재가치를 1로 만드는 할인율이다.

② 회계적 이익률법은 현금흐름의 시간적 가치를 고려하지 않는다.

③ 내부수익률법에서는 내부수익률과 요구수익률을 비교하여 투자여부를 결정한다.

④ 순현재가치법, 내부수익률법은 할인현금수지분석법에 해당한다.

⑤ 담보인정비율(LTV)은 부동산가치에 대한 융자액의 비율이다.

17. 저당담보부증권(MBS)의 가격변동에 관한 설명으로 옳은 것은?(단, 주어진 조건에 한함)
① 투자자들이 가까운 시일에 채권시장 수익률의 하락을 예상한다면, 가중평균상환기간(duration)이 긴 저당담보부증권일수록 그 가격이 더 크게 하락한다.
② 채무불이행위험이 없는 저당담보부증권의 가격은 채권 시장 수익률의 변동에 영향을 받지 않는다.
③ 자본시장 내 다른 투자수단들과 경쟁하므로, 동일위험 수준의 다른 투자수단들의 수익률이 상승하면 저당담보부증권의 가격은 상승한다.
④ 채권시장 수익률이 상승할 때 가중평균상환기간이 긴 저당담보부증권일수록 그 가격의 변동 정도가 작다.
⑤ 고정이자를 지급하는 저당담보부증권은 채권시장 수익률이 상승하면 그 가격이 하락한다.

18. 부동산관리방식에 따른 해당 내용을 옳게 묶은 것은?

ㄱ. 소유자의 직접적인 통제권이 강화된다.
ㄴ. 관리의 전문성과 효율성을 높일 수 있다.
ㄷ. 기밀 및 보안 유지가 유리하다.
ㄹ. 건물설비의 고도화에 대응할 수 있다.
ㅁ. 대형건물의 관리에 더 유용하다.
ㅂ. 소유와 경영의 분리가 가능하다.

① 자기관리방식 - ㄱ, ㄴ, ㄷ, ㄹ
② 자기관리방식 - ㄱ, ㄷ, ㅁ, ㅂ
③ 자기관리방식 - ㄴ, ㄷ, ㄹ, ㅂ
④ 위탁관리방식 - ㄱ, ㄷ, ㄹ, ㅁ
⑤ 위탁관리방식 - ㄴ, ㄹ, ㅁ, ㅂ

19. 감정평가에 관한 규칙상 대상물건별로 정한 감정평가방법(주된 방법)이 수익환원법인 대상물건은 모두 몇 개인가?

- 상표권
- 임대료
- 저작권
- 특허권
- 과수원
- 기업가치
- 광업재단
- 실용신안권

① 2개
② 3개
③ 4개
④ 5개
⑤ 6개

20. 감정평가 과정상 지역분석 및 개별분삭에 관한 설명으로 옳은 것은?

① 동일수급권이란 대상부동산과 대체·경쟁 관계가 성립하고 가치 형성에 서로 영향을 미치는 관계에 있는 다른 부동산이 존재하는 권역을 말하며, 인근지역과 유사지역을 포함한다.

② 지역분석이란 대상부동산이 속해 있는 지역의 지역요인을 분석하여 대상부동산의 최유효이용을 판정하는 것을 말한다.

③ 인근지역이란 대상부동산이 속한 지역으로서 부동산의 이용이 동질적이고 가치형성요인 중 개별요인을 공유하는 지역을 말한다.

④ 개별분석이란 대상부동산의 개별적 요인을 분석하여 해당 지역 내 부동산의 표준적 이용과 가격수준을 판정하는 것을 말한다.

⑤ 지역분석보다 개별분석을 먼저 실시하는 것이 일반적이다.

2회 하프기출문제(2022)
40문항 중 20문항
(한국산업인력공단 기출문제 참조)

이른 아침은 입에 황금을 물고 있다.
- 벤자민 프랭클린

1. 토지의 정착물에 해당하지 않는 것은?
① 구거
② 다년생 식물
③ 가식중인 수목
④ 교량
⑤ 담장

2. 부동산의 특성에 관한 설명으로 옳은 것은?
① 토지는 물리적 위치가 고정되어 있어 부동산시장이 국지화 된다.
② 토지는 생산요소와 자본의 성격을 가지고 있지만, 소비재의 성격은 가지고 있지 않다.
③ 토지는 개별성으로 인해 용도적 관점에서도 공급을 늘릴 수 없다.
④ 토지의 부증성으로 인해 토지공급은 특정 용도의 토지에 대해서도 장·단기적으로 완전비탄력적이다.
⑤ 토지는 영속성으로 인해 물리적·경제적인 측면에서 감가상각을 하게 한다.

3. 오피스텔 시장에서 수요의 가격탄력성은 0.5이고, 오피스텔의 대체재인 아파트 가격에 대한 오피스텔 수요의 교차탄력성은 0.3이다. 오피스텔 가격, 오피스텔 수요자의 소득, 아파트 가격이 각각 5%씩 상승함에 따른 오피스텔 전체 수요량의 변화율이 1%라고 하면, 오피스텔 수요의 소득탄력성은?(단, 오피스텔과 아파트 모두 정상재이고, 수요의 가격탄력성은 절댓값으로 나타내며, 다른 조건은 동일함)

① 0.2

② 0.4

③ 0.6

④ 0.8

⑤ 1.0

4. 부동산경기변동에 관한 설명으로 옳은 것은?

① 상향시장 국면에서는 부동산가격이 지속적으로 하락하고 거래량은 감소한다.

② 후퇴시장 국면에서는 경기상승이 지속적으로 진행되어 경기의 정점에 도달한다.

③ 하향시장 국면에서는 건축허가신청이 지속적으로 증가한다.

④ 회복시장 국면에서는 매수자가 주도하는 시장에서 매도자가 주도하는 시장으로 바뀌는 경향이 있다.

⑤ 안정시장 국면에서는 과거의 거래가격을 새로운 거래가격의 기준으로 활용하기 어렵다.

5. 부동산시장에 관한 설명으로 틀린 것은?(단, 다른 조건은 동일함)

① 부동산시장에서는 정보의 비대칭성으로 인해 부동산가격의 왜곡현상이 나타나기도 한다.

② 부동산시장은 장기보다 단기에서 공급의 가격탄력성이 크몰 단기 수급조절이 용이하다.

③ 부동산시장은 규모, 유형, 품질 등에 따라 세분화되고, 지역별로 구분되는 특성이 있다.

④ 부동산시장에서는 일반적으로 매수인의 제안가격과 매도인의 요구가격 사이에서 가격이 형성된다.

⑤ 부동산시장은 불완전하더라도 할당효율적일 수 있다.

6. 다음 설명에 모두 해당하는 입지이론은?

- 인간정주체계의 분포원리와 상업입지의 계층체계를 설명하고 있다.
- 재화의 도달거리와 최소요구치와의 관계를 설명하는 것으로 최소요구치가 재화의 도달범위 내에 있을 때 판매자의 존속을 위한 최소한의 상권 범위가 된다.
- 고객의 다목적 구매행동, 고객의 지역 간 문화적 차이를 반영하지 않았다는 비판이 있다.

① 애플바움의 소비자분포기법
② 레일리의 소매중력모형
③ 버제스의 동심원이론
④ 컨버스의 분기점 모형
⑤ 크리스탈러의 중심지이론

7. 다음 설명에 모두 해당하는 것은?

- 서로 다른 지대곡선을 가진 농산물들이 입지경쟁을 벌이면서 각 지점에 따라 가장 높은 지대를 지불하는 농업적 토지이용에 토지가 할당된다.
- 농산물 생산활동의 입지경쟁 과정에서 토지 이용이 할당되어 지대가 결정되는데, 이를 입찰지대라 한다.
- 중심지에 가까울수록 집약 농업이 입지하고, 교외로 갈수록 조방 농업이 입지한다.

① 튀넨의 위치지대설
② 마샬의 준지대설
③ 리카도의 차액지대설
④ 마르크스의 절대지대설
⑤ 파레토의 경제지대설

8. 국토의 계획 및 이용에 관한 법령상 용도지역으로서 도시지역에 속하는 것을 모두 고른 것은?

ㄱ. 농림지역

ㄴ. 관리지역

ㄷ. 취락지역

ㄹ. 녹지지역

ㅁ. 산업지역

ㅂ. 유보지역

① ㄹ

② ㄷ, ㅁ

③ ㄹ, ㅁ

④ ㄱ, ㄴ, ㄹ

⑤ ㄴ, ㄷ, ㅂ

9. 부동산투자회사법령상 (   )에 들어갈 내용으로 옳은 것은?

- (ㄱ) 부동산투자회사: 자산운용 전문인력을 포함한 임직원을 상근으로 두고 자산의 투자·운용을 직접 수행하는 회사
- (ㄴ) 부동산투자회사: 자산의 투자·운용을 자산관리회사에 위탁하는 회사

① ㄱ: 자치관리, ㄴ: 위탁관리
② ㄱ: 자치관리, ㄴ: 간접관리
③ ㄱ: 자기관리, ㄴ: 위탁관리
④ ㄱ: 자기관리, ㄴ: 간접관리
⑤ ㄱ: 직접관리, ㄴ: 간접관리

10. 부동산정책과 관련된 설명으로 옳은 것은?

① 분양가상한제와 택지소유상한제는 현재 시행되고 있다.

② 토지비축제도(토지은행)와 부동산가격공시제도는 정부가 간접적으로 부동산시장에 개입하는 수단이다.

③ 법령상 개발부담금제가 재건축부담금제보다. 먼저 도입되었다.

④ 주택시장의 지표로서 PIR(Priche to Income Ratio)은 개인의 주택지불능력을 나타내며, 그 값이 클수록 주택구매가 더 쉽다는 의미다.

⑤ 부동산실명제의 근거 법률은 「부동산등기법」이다.

11. 부동산조세에 관한 설명으로 옳은 것을 모두 고른 것은?

ㄱ. 양도소득세와 부가가치세는 국세에 속한다.

ㄴ. 취득세와 등록면허세는 지방세에 속한다.

ㄷ. 상속세와 재산세는 부동산의 취득단계에 부과한다.

ㄹ. 증여세와 종합부동산세는 부동산의 보유단계에 부과한다.

① ㄱ

② ㄱ, ㄴ

③ ㄴ, ㄹ

④ ㄱ, ㄷ, ㄹ

⑤ ㄴ, ㄷ, ㄹ

12. 건축물 A의 현황이 다음과 같을 경우, 건축법령 상 용도별 건축물의 종류는?

- 층수가 4층인 1개 동의 건축물로서 지하층과 필로티 구조는 없음
- 전체 층을 주택으로 쓰며, 주택으로 쓰는 바닥 면적의 합계가 600m^2임
- 세대수 합계눈 8세대로서 모든 세대에 취사시설이 설치됨

① 기숙사
② 다중주택
③ 연립주택
④ 다가구주택
⑤ 다세대주택

13. 다음 자료를 활용하여 산정한 대상 부동산의 순소득 승수는?(단, 주어진 조건에 한함)

- 총투자액: 10,000만원
- 지분투자액: 6,000만원
- 가능총소득(PGI): 1,100만원/년
- 유효총소득(EGI): 1,000만원/년
- 영업비용(OE): 500만원/년
- 부채서비스액(DS): 260만원/년
- 영업소득세: 120만원/년

① 6

② 9

③ 10

④ 12

⑤ 20

14. 주택금융에 관한 설명으로 틀린 것은?(단, 다른 조건은 동일함)

① 정부는 주택소비금융의 확대와 금리인하, 대출규제의 원화로 주택가격의 급격한 상승에 대처한다.

② 주택소비금융은 주택구입능력을 제고시켜 자가주택 소유를 촉진시킬 수 있다.

③ 주택자금대출의 활대는 주택거래를 활성화 시킬 수 있다.

④ 주택금융은 주택과 같은 거주용 부동산을 매입 또는 임대하는데 필요한 자금조달을 위한 금융상품을 포괄한다.

⑤ 주택도시기금은 국민주택의 건설이나 국민주택규모 이하의 주택 구입에 출자 또는 융자할 수 있다.

15. 주택연금(주택담보노후연금) 관련 법령상 주택연금의 보증기관은?

① 한국부동산원

② 신용보증기금

③ 주택도시보증공사

④ 한국토지주택공사

⑤ 한국주택금융공사

16. 대출조건이 동일할 경우 대출상환방식별 대출채권의 가중평균상환기간(duration)이 짧은 시간에서 긴 기간의 순서로 옳은 것은?

ㄱ. 원금균등분할상환

ㄴ. 원리금균등분할상환

ㄷ. 만기일시상환

① ㄱ->ㄴ->ㄷ

② ㄱ->ㄷ->ㄴ

③ ㄴ->ㄱ->ㄷ

④ ㄴ->ㄷ->ㄱ

⑤ ㄷ->ㄴ->ㄱ

17. 자산유동화에 관한 법령에 규정된 내용으로 틀린 것은?

① 유동화자산이라 함은 자산유동화의 대상이 되는 채권·부동산 기타의 재산권을 말한다.

② 양도인은 유동화자산에 대한 반환청구권을 가지지 아니 한다.

③ 유동화자산의 양도는 매매 또는 교환에 의한다.

④ 유동화전문회사는 유한회사로 한다.

⑤ PF 자산담보부 기업어음(ABCP)의 반복적인 유동화는 금융감독원에 등록한 자산유동화계획의 기재내용대로 수행하여야 한다.

18. 공공주택 특별법상 공공임대주택에 해당하지 않는 것은?
① 영구임대주택
② 국민임대주택
③ 분양전환공공임대주택
④ 공공지원민간임대주택
⑤ 기존주택등매입임대주택

19. 다음 설명에 모두 해당하는 부동산관리방식은?
- 관리의 전문성과 효율성을 제고할 수 있다.
- 건물설비의 고도화에 대응할 수 있다.
- 전문업자의 관리서비스를 받을 수 있다.
- 대형건물의 관리에 더 유용하다.
- 기밀유지에 어려움이 있다.
① 자치관리방식
② 위탁관리방식
③ 공공관리방식
④ 조합관리방식
⑤ 직영관리방식

20. 감정평가에 관한 규칙에 규정된 내용으로 틀린 것은?

① 기준시점이란 대상물건의 감정평가액을 결정하는 기준이 되는 날짜를 말한다.

② 하나의 대상물건이라도 가치를 달리하는 부분은 이를 구분하여 감정평가를 할 수 있다.

③ 거래사례비교법은 감정평가식 중 비교방식에 해당되나, 공시지가기준법은 비교방식에 해당되지 않는다.

④ 감정평가법인등은 대상물건별로 정한 감정평가방법(이하 "주된 방법"이라 함)을 적용하여 감정평가하되, 주된 방법을 적용하는 것이 곤란하거나 부적절한 경우에는 다른 감정평가방법을 적용할 수 있다.

⑤ 감정평가법인등은 감정평가서를 감정평가 의뢰인과 이해관계자가 이해할 수 있도록 명확하고 일관성 있게 작성해야 한다.

PART Ⅲ
정답

계산된 위험은 감수하라.
이는 단순히 무모한 것과는 완전히 다른 것이다.
- 조지 S. 패튼

부동산학개론 하프기출문제(1회)

1. ①
2. ③
3. ②
4. ③
5. ⑤
6. ④
7. ②
8. ③
9. ②
10. ④
11. ③
12. ④
13. ①
14. ②
15. ③
16. ①
17. ⑤
18. ⑤
19. ⑤
20. ①

부동산학개론 하프기출문제(2회)

1. ③
2. ①
3. ④
4. ④
5. ②
6. ⑤
7. ①
8. ①
9. ③
10. ③
11. ②
12. ⑤
13. ⑤
14. ①
15. ⑤
16. ①
17. ⑤
18. ④
19. ②
20. ③

부 록

천재성에는 한계가 있을 수 있지만,
어리석음에는 이런 장애가 없다.
- 엘버트 허버드

부록1
공부방법 팁, 조언 20가지

웃음은 마음의 조깅이다.
- 노먼 커즌즈

[공부 팁1]
- 공부에 있어서 가장 좋은 전략은 효율성이다. 투자 시간 대비 최고의 성과를 낼 수 있는 방법을 끊임없이 연구하며 수험에 임하여야 한다.

[공부 팁2]
- 공부가 잘 안될 때는 가벼운 운동 등 잡념을 극복해낼 수 있는 자기만의 방법 몇 가지를 발견하도록 노력하자.

[공부 팁3]
- 최종합격 했을 때 이 자격증을 가지고 활동하는 내 모습을 상상하며 공부를 하자. 공부를 할 때 한 층 더 힘이 날 것이다.

[공부 팁4]
- 공부가 잘 되는 장소는 정해져있지 않다. 사람마다 다르므로 본인이 가장 공부가 잘 되는 장소를 찾도록 하자. 그 장소를 잘 활용하자. 누군가는 독서실이지만 누군가는 도서관이나 공원이 될 수도 있다.

[공부 팁5]
- 필기구는 공부에 있어서 플러스 영향을 주는 좋은 아이템이라 할 수 있다. 필기구가 부족하거나, 품질이 떨어져서 스트레스를 받는 일을 줄인다면, 공부가 막히는 경우의 수 하나를 줄일 수가 있다.

[공부 팁6]
- 오늘은 어제보다 더 낫고 내일은 오늘보다 더 나은 공부방식으로 공부를 한다고 생각하여야 한다. 그렇게 해야 정체되지 않고 긴장감을 느끼며 효율적으로 공부를 해나갈 수 있다.

[공부 팁7]
- 문제풀이로 진입하는 것을 늦추지 말아야 한다.
이론 교재를 완벽히 마스터 하고 문제풀이 들어간다는 생각을 하지 말고 교재는 대략적인 목차나 큰제목 수준으로 익혔다 한들 흐름만 아는 상태라 하더라도 문제풀이로 들어가서 모르는 게 있을때 역으로 이론을 본다는 생각을 해보자 한결 공부의 효율성이 높아질 것이다.

[공부 팁8]
- 두뇌회전을 위해 자는 시간 확보는 중요하다. 자는 시간을 무리하게 줄이면서까지 공부를 한다면 공부시간은 늘어날지언정 피곤한 두뇌로 공부를 하기에 기억력에는 도움이 되지를 않는다. 잠은 피곤하지 않을 정도론 자고, 남은 시간에 공부에 힘을 써보자.

[공부 팁9]

- 직장인은 공부할 시간이 부족하다는 변동 없는 사실을 겸허하게 받아들이고, 부족한 시간 한도 내에서 최상의 결과를 낼 수 있도록 효율적인 공부를 하도록 하자

[공부 팁10]

- 공부하다가 지칠 때쯤엔 단순히 공인중개사 자격증만을 위해 공부한다는 목표 외에도 부동산 공부를 하면 할수록 본인의 삶이 경제적으로 좀 더 나아질 수 있다는 믿음을 가지고 수험생활을 해나자.

[공부 팁11]

- 최소한의 암기를 바탕으로 이해력이 생기고 응용력이 향상된다. 아무리 이해 중심의 공부를 강조하는 시대에도 최소한의 암기는 하자. 그러면 문제 푸는 시간도 단축이 된다.

[공부 팁12]
- 최종 합격이라는 끝판 간문 외에도 중간 중간 스스로의 작은 간문(목표)도 설정을 하자. 공부하는데 활력소가 될 것이다.

[공부 팁13]
- 공부도 게임이라고 생각을 하자. 게임 캐릭터를 성장해 나갈 때 희열을 느끼듯이, 부동산 지식이 향상되면서 좀 더 경제적 부를 추적할 가능성이 높은 사람으로 되어간다는 생각을 해보면 공부하는 과정도 재미를 느낄 수 있다.

[공부 팁14]
- 본인이 자습에 적합한 수험생인지, 수업식 공부에 적합한 수험생인지를 판단을 하자. 무엇이 더 나은지는 정답이 없다. 그러므로 자습시간이 많을 때 효율이 오르는지, 수업시간이 많을 때 공부의 효율이 오르는지는 판단하여, 공부가 잘 되는 시간의 비율을 늘리도록 하자.

[공부 팁15]

- 한 권의 책을 꼼꼼히 100% 마스터한다는 생각보다는 한 권의 책을 대강 훑어보더라도 끝까지 빠른 시간에 끝낸다는 생각으로 접근하자. 공부에 대한 부담이 많이 줄어들 것이다. 그리고 2번, 3번 여러 번 훑어보는 것을 반복하다보면 어느새 내용에 대한 이해가 자리잡을 것이다.

[공부 팁16]

- 가르치는 것은 배우는 것 이상으로 학습효과가 있다. 공부를 할 때 공부한 내용을 누군가에게 곧 가르친다는 마음으로 공부를 하자. 한 층 더 집중이 잘 될 것이다. 그리고 가르쳐야 할 대상이 없더라도 가상의 대상에게 가르치는 시뮬레이션을 해보자. 강의를 하면서 복습이 되고 학습이 될 것이다.

[공부 팁17]
- 배경지식도 학습 증진에 도움이 된다. 공인중개사 과목만 공부해도 시험성적 향상엔 도움이 되지만, 틈틈이 경제뉴스나 신문 등을 보다보면 시험문제 풀이에도 도움이 되는 배경지식을 습득할 수 있다. 상대적으로 적은 시간 공부해서 좋은 결과를 내는 사람들 중 상당수가 이렇게 배경지식을 많이 쌓아놓은 사람들이다.

[공부 팁18]
- 틈틈이 실전모의고사를 풀면서 실력테스트를 해보자. 점수가 잘 나오든, 잘 나오지 않던 공부하는데 자극을 줄 수 있다. 그리고 오답정리를 통해 무엇이 부족한지를 파악하고 앞으로의 공부방향에 보탬이 되도록 하자.

[공부 팁19]
- 하루를 시작할 때 오늘 해야 할 공부량과 목표치를 설정하도록 하자. 공부하는데 긴장감을 더 할 수 있다. 그리고 하루하루 목표량을 채워나갈 때 성취감도 느낄 수 있다.

[공부 팁20]
- 지금까지의 공부 팁들을 유일한 왕도라고 생각하지는 마라. 하지만 충분히 검증된 참고 가능한 방법들이니, 이 방법들을 활용하고 응용하도록 하자. 그리고 이를 바탕으로 자신만의 공부법을 설계하도록 하자.

부록2
공부 명언 모음 20

부지런히 꾸준히 달리는 자가 결국 승리한다.
- 저자

[공부명언1]
배우기만 하고 생각하지 않으면 얻는 것이 없고, 생각만 하고 배우지 않으면 위태롭다.
- 공자

[공부명언2]
인생에서 가장 위대한 교훈은, 심지어 바보도 어떨 때는 옳다는 걸 아는 것이다.
- 윈스턴 처칠

[공부명언3]
아버지들은 자신이 대학을 나왔기 때문에, 혹은 자신이 대학을 나오지 않았기 때문에 아들을 대학에 보낸다.
-- L. L. 헨더슨

[공부명언4]
교육은 최상의 노후 대비책이다.
- 아리스토텔레스

[공부명언5]
행동만이 삶에 힘을 주고, 절제만이 삶에 매력을 준다.
- 장 폴 리히터

[공부명언6]
교육의 목적은 비어있는 머리를 열려있는 머리로 바꾸는 것이다.
- 말콤 포브스

[공부명언7]
배우고 때로 익히면 기쁘지 아니한가
- 공자

[공부명언8]
한 사람에게서 모든 덕을 구하려 하지 말라.
- 공자

[공부명언9]
나는 믿음을 존중하지만 우리를 가르치는 것은 의구심이다.
- 윌슨 미즈너

[공부명언10]
교육 없는 천재는 광산 속의 은이나 마찬가지이다.
- 벤자민 프랭클린

[공부명언11]
교육의 위대한 목표는 앎이 아니라 행동이다.
- 허버트 스펜서

[공부명언12]
교육이 신사를 만들기 시작하고, 대화는 신사를 완성시킨다.
- 토마스 풀러

[공부명언13]
정직과 미덕의 샘이자 근원은 훌륭한 교육에 있다.
- 플루타르코스

[공부명언14]
배움은 의무도, 생존도 아니다.
- 에드워즈 데밍

[공부명언15]
참된 스승은 제자들이 자신의 개인적 영향을 받지 않도록 방어한다.
- 에이모스 브론슨 올코트

[공부명언16]
어느 국가든 그 기초는 젊은이들의 교육이다.
- 디오게네스

[공부명언17]
어떤 것을 완전히 알려거든 그것을 다른 이에게 가르쳐라.
- 트라이언 에드워즈

[공부명언18]
공부는 배운 것이 잊혀졌을 때 살아남는 것이다.
- B. F. 스키너

[공부명언19]
교육을 무시하는 것은 무지한 사람뿐이다.
- 퍼블릴리어스 사이러스

[공부명언20]
많이 읽어라. 그러나 많은 책을 읽지는 마라.
- 벤자민 프랭클린

친구는 제2의 자신이다.
- 아리스토텔레스

부록3
원룸 관리 10계명

강렬한 사랑은 판단하지 않는다. 주기만 할 뿐이다.
- 마더 테레사

[원룸관리1]
원룸거래는 사람과 사람사이 발생하는 경제활동이다. 원칙을 지키되, 서로간의 형편을 보면서 배려를 할 줄 알아야 한다.

[원룸관리2]
민원이 발생하는 일을 최소화 하라. 그럼에도 만약 민원이 발생한다면 즉시 해결하도록 하라. 시간을 지체해서는 안 된다.

[원룸관리3]
위생과 청결은 관리의 최고의 덕목이다. 정기적이고 꼼꼼한 청소는 핵심이다.

[원룸관리4]
시기적절한 전체 공지사항은 건물주·관리인에 대한 신뢰를 높여 준다. 죽은 건물이 아닌 살아 있는 건물로 남으려면, 임차인에게 안내가 필요한 시기적절한 공지사항을 1층 로비에 서면으로든 문자 등의 방법으로든 안내하도록 하자.

[원룸관리5]
화재 예방은 필수이다. 귀중한 자산과 소중한 생명이 살고 있는 다가구주택에선 더더욱 중요하다. 화재보험에 가입함은 물론이고, 화재 예방에 필요한 적절한 장비 구비와 사전지식은 꼭 갖추도록 하자.

[원룸관리6]
주차관리에 문제가 없도록 하자. 주차공간이 넓든 넓지 않던, 주차문제가 발생치 않도록 납득할 수 있는 내부규정을 만들도록 하자.

[원룸관리7]
원룸관리는 장기적 안목으로 보아야 한다. 단순히 다음 달 월세를 많이 받으려는 시각보다는, 원만한 운영을 위해 멀리 내다보도록 하자. 터무니없는 보증금, 월세 비율로 부동산시장에 내놓으면 안 된다.

[원룸관리8]
자기만의 원룸관리 매뉴얼을 만들자. 갑작스런 문제가 발생했을 시 당황하지 않고 대응하기가 수월해진다.
원룸관리 매뉴얼은 틈틈이 작성하며 업그레이드를 해 나가면 된다.

[원룸관리9]
방범에 철저하게 신경을 써야 한다. 아파트보다 보안 수준이 낮을 수도 있으나, CCTV관리와 함께 주기적으로 공동비번을 바꾸는 등 보안에 신경을 쓰도록 하자.

[원룸관리10]
원룸 관리에 적절한 비용 발생은 당연한 현상이다. 돈을 지나치게 아끼려고만 하면 나중에 더 큰 손해로 돌아올 수도 있다. 관리인으로서 관리도 철저하게 해야하지만 피치못할 비용 발생은 감수하도록 하자.

부록4
용어암기복습장

열정은 세상을 돌게 한다. 사랑은 세상을 좀 더 안전한 곳으로 만들 뿐이다.
- 아이스 티

용어 암기 복습장

협의의 부동산:

광의의 부동산:

경제적 측면의 부동산:

복합 개념의 부동산:

용어 암기 복습장

필지:

맹지:

대지:

포락지:

부동성:

용어 암기 복습장

부증성:

영속성:

개별성:

공중권:

지표권:

용어 암기 복습장

수요법칙:

공급:

균형:

탄력성:

입지:

용어 암기 복습장

지대:

동심원이론:

다핵심이론:

시장실패:

시장실패의 원인:

용어 암기 복습장

조세의 기능:

조세의 귀착:

부동산 투잡의 장점:

부동산 투자의 단점:

부동산 투자 위험의 유형:

용어 암기 복습장

포트폴리오 이론:

순현가법:

내부수익률법:

금융:

원리금균등상환방법:

용어 암기 복습장

원금균등분할상환:

저당담보증권:

리츠:

프로젝트 파이낸싱:

토지이용의 집약도:

용어 암기 복습장

도시스프롤 현상:

부동산 개발의 분류:

STP전략:

감정평가:

감정평가의 분류:

용어 암기 복습장

부동산 가격의 원칙:

최유효이용의 원칙:

원가법:

재조달원가:

용어 암기 복습장

감가수정:

거래사례비교법:

임대사례비교법:

수익분석법:

능력은 그 수요를 결코 충족시킬 수 없을 것이다.
- 공자

부록5
메모장

한 권의 책을 읽음으로써 자신의 삶에서 새 시대를 본 사람이 너무나 많다.

- 헨리 데이비드 소로우

Memo

Memo

Memo

Memo

Memo

Memo

Memo

Memo

Memo

Memo

Memo

Memo

[맺음말]

여러분의 성원으로 지난 첫 인쇄에 이어 2024년도 개정판이 나오게 된 것을 감사드린다. 또한 마지막 장까지 공인중개사 1차 시험에서의 첫 과목인 부동산학개론의 아날로그식 수험서를 1회독 하신 것을 축하드린다. 본 수험서가 여러분의 수험생활에 큰 도움이 되었기를 희망한다. 이 책이 여러분을 합격으로 인도하는 훌륭한 디딤돌이 되기를 기원하는 바이다.

수고하셨습니다.
여러분의 합격을 진심으로 기원합니다.